Nuit de tempête

— Bonjour, Gaëlle, ma chérie. Et bonjour, Antoine. Avez-vous fait bon voyage? dit Madame Ledantec.

— Bienvenue dans le Finistère et bienvenue dans notre nouvelle maison! dit son mari.

— Elle est très vieille, votre maison. Mais elle est très belle, s'exclame Gaëlle.

Monsieur et Madame Ledantec, les grands-parents de Gaëlle, ont 60 ans. Ils viennent de prendre leur retraite. Au lieu de rester à Rennes, où ils étaient professeurs, ils ont décidé d'aller vivre au bord de la mer.

Ils rêvaient d'une vieille maison de pierre près d'une côte sauvage avec des rochers.

Cette vieille maison isolée, située dans le département du Finistère, près de la Pointe du Raz, à l'extrémité de la Bretagne, est donc la maison de leurs rêves. Ils y habitent depuis seulement quatre ou cinq semaines. Gaëlle, leur petite-fille préférée, est leur première invitée. Elle vient passer ses vacances de printemps avec ses grands-parents et Antoine, un copain de longue date.

— Alors, vous allez nous faire visiter la maison? demande Gaëlle, impatiente.

— D'accord, et après, on peut aller faire une petite promenade le long de la côte.

— Oui, super! Je veux voir la mer.

— Mettez un gros pull-over et un vêtement de pluie. Il ne fait pas beau. Et il y a du vent, dit Madame Ledantec.

— J'espère qu'il va y avoir une tempête, pense Gaëlle.

Elle adore le sel qui colle au visage. Elle adore écouter le bruit de la mer et du vent sur les rochers. C'est fantastique!

Une demi-heure plus tard, Antoine, Gaëlle et ses grands-parents sont en promenade. La mer est en furie, les vagues sont énormes, le vent souffle avec un sifflement menaçant. Les oiseaux vont et viennent autour des rochers. Ils ont l'air inquiets, et ils font beaucoup de bruit.

— On dirait des enfants qui pleurent, pense Gaëlle. Soudain, le ciel devient tout noir, il commence à pleuvoir à grosses gouttes, il est temps de rentrer à la maison.

— Je vais faire du feu dans la cheminée, dit Monsieur Ledantec.

— Et moi je vais préparer du chocolat chaud, dit sa femme.

Quelques minutes plus tard, tout le monde est assis confortablement dans la salle de séjour, avec une bonne tasse de chocolat et une tranche de gâteau fait par la grand-mère de Gaëlle.

Antoine regarde autour de lui. Il regarde Gaëlle, assise en face de lui. Gaëlle est très belle avec ses longs cheveux frisés. Mais ici, dans cette maison,

elle est encore plus belle. Elle a l'air heureuse, à l'aise, comme si elle connaissait cette maison depuis des années.

— Ah, qu'est-ce qu'on est bien ici! dit Antoine. Merci de m'avoir invité.

Monsieur Ledantec allume la télévision. A la fin des informations, on annonce une tempête sur la Bretagne. Soudain, l'écran de télévision devient tout noir, et la lumière s'éteint.

— Ah, zut! une panne d'électricité! , dit Monsieur Ledantec.

A l'heure du dîner, il n'y a toujours pas d'électricité. Monsieur et Madame Ledantec et leurs jeunes invités mangent à la lumière des bougies. Ils trouvent ça marrant.

— J'adore cette ambiance, dit Gaëlle. La tempête, le noir, le vent qui hurle, hou! houu! houuu! Il y a peut-être des fantômes. Hou! Houuuu! Houuuu!

C'est le fantôme de la maison des Ledantec. Oh, là, là! J'ai peur, dit Antoine en riant.

— En fait, je peux vous le dire maintenant, certaines personnes pensent que cette maison est hantée, continue Monsieur Ledantec.

— André, ne raconte pas cette histoire, supplie Madame Ledantec.

— Mais si! Mais si! crie Gaëlle, d'une voix excitée.

Et Monsieur Ledantec raconte qu'au début du siècle, cette maison était habitée par une famille de pêcheurs. Ils s'appelaient Le Goff et ils avaient quatre enfants : trois filles et un garçon. François, le garçon, qui avait quinze ans, travaillait comme pêcheur, avec son père. Une nuit, il est parti en bateau tout seul. Personne ne sait pourquoi. Une tempête a éclaté et il n' est jamais revenu. On a retrouvé son bateau, abandonné dans les rochers. D'après la légende, François Le Goff revient hanter cette maison une fois par an, le jour de l'anniversaire de sa mort.

— Et c'est quand? demande Gaëlle, anxieusement.

— Ah! je ne sais pas, répond Monsieur Ledantec.

— Si, je crois que c'est au mois de mars, dit Madame Ledantec.

— Au mois de mars? Mais nous sommes au mois de mars, crie Gaëlle.

Dehors, la tempête ne s'est pas calmée. La pluie tape sur les volets de la maison. Le vent hurle.

— Oh, je suis fatigué, je vais me coucher, dit Antoine. Bonne nuit à tous.

— Bonne nuit, Antoine, dit Gaëlle. Moi aussi je vais au lit. Bonne nuit, tout le monde.

— Bonne nuit, mes enfants, dit Madame Ledantec. Dormez-bien.

— Bonne nuit, dit Monsieur Ledantec. Faites de beaux rêves.

Au milieu de la nuit, Gaëlle se réveille. Il fait très noir, et la tempête n'est pas terminée. Elle entend le vent qui souffle. Elle entend la mer qui se jette contre les rochers. Elle entend aussi des bruits bizarres, des bruits qu'elle ne comprend pas. C'est comme si quelqu'un essayait de déplacer les meubles de la salle à manger. Elle entend aussi des pleurs, comme si quelqu'un pleurait dans la cuisine. Intriguée, Gaëlle décide de se lever. Elle sort de sa chambre.

Il fait noir dans le couloir. Gaëlle ferme les yeux pendant un quart de seconde. Quand elle ouvre de nouveaux les yeux, elle a une impression de lumière. Antoine est devant elle. Il porte un tee-shirt blanc et un pantalon de pyjama blanc. Il est très pâle. Ses cheveux sont très blonds, presque blancs.

— Tu ne peux pas dormir? lui demande Gaëlle.

— Je ne dors jamais, répond Antoine d'une voix étrange.

— Tu as entendu le bruit tout à l'heure?

— Je n'entends rien, mais je vois tout, répond Antoine, d'un ton mystérieux.

— Ça va? Tu n'es pas malade? demande Gaëlle, un peu inquiète.

— Je ne suis jamais malade, répond Antoine.

— Antoine, tu vas voir. Il va faire beau, demain. On va passer des vacances géniales. En attendant, essaie de dormir. Bonne nuit, Antoine.

Gaëlle a très envie de dormir. Elle ferme les yeux

pendant un quart de seconde. Quand elle les ouvre de nouveau, Antoine n'est plus là. Il a disparu. Et le couloir est de nouveau tout noir.

— C'est bizarre, pense Gaëlle, en retournant dans sa chambre. Il n'avait pas de lampe électrique, et pourtant quand il était là, j'ai l'impression qu'il y avait de la lumière.

Mais, quelques secondes plus tard, Gaëlle dort.

Le lendemain matin, Gaëlle est réveillée par une délicieuse odeur de café et de pain grillé qui vient de la cuisine.

— Bonjour, ma chérie, tu as bien dormi? demande sa grand-mère.

— Pas trop bien. La tempête m'a réveillée.

— Et Antoine? demande le grand-père de Gaëlle.

— La tempête a aussi réveillé Antoine, le pauvre! répond Gaëlle.

— Mais non! Moi, j'ai très bien dormi, dit Antoine qui arrive dans la cuisine à ce moment-là. La tempête ne m'a pas gêné du tout. Je suis en pleine forme.

Antoine porte un gros pull rouge sur son pyjama bleu marine.

— Mais... Je ne comprends pas. Tu ne portes pas le même pyjama que cette nuit.

— Ben, si ... Qu'est-ce que tu racontes?

— Cette nuit, quand je t'ai parlé, tu étais tout en blanc. Tu portais un tee-shirt blanc et un pantalon de pyjama blanc.

— Gaëlle, je n'ai pas de pyjama blanc, ni de tee-shirt blanc. Et je ne t'ai pas parlé pendant la nuit.

— Mais si! C'était là-haut, dans le couloir. Tu m'as dit que tu ne dormais jamais, continue Gaëlle en insistant.

— Gaëlle. J'ai très bien dormi! Tu as rêvé!

— Allez! Ne vous disputez pas! interrompt Madame Ledantec. Qu'est-ce que c'est que cette photo?

— Je ne sais pas, répond Monsieur Ledantec. Je l'ai trouvée ce matin, près de la cheminée. Elle est belle, hein?

Antoine et Gaëlle regardent la photo avec Monsieur et Madame Ledantec. C'est une très vieille photo du début du siècle. C'est le portrait d'une jeune fille de quatorze ou quinze ans.

— Elle ressemble à Gaëlle! s'exclame Antoine.

— Vous avez raison, dit Monsieur Ledantec en retournant la photo. Tiens, il y a une inscription :

«A mon bien-aimé, François Le Goff, de la part de Gaëlle Lebrun.»